他人 ... 그 어느 날

他人 ... 그 어느 날

인쇄·발행 2023년 8월 18일

지은이 │ 하젤

편집·디자인 │ 박진수
펴낸곳 │ 오늘과 내일
출판등록 │ 제2023-000041호

ISBN │ 979-11-983992-0-5(03800)
값 │ 12,500원

他人 ... 그 어느 날

하젤 첫 번째 에세이

오늘.　　내일..

계양산 정상의 야경

또 오늘...   다시 오늘....   또 내일.....

他人 ... 그 어느 날

차례

카라멜마키아또

에스프레소

바닐라라떼

아포카토

아메리카노 (마흔여덟)

마흔여덟의 봄..

어느덧 중년의 나이가 되었지만 오래된 기억들은 아직도 그 자리에 머물러 있다는 걸 깨달았습니다.

지금 껏 정신없이 앞만 보며 달려오다가 조금의 여유를 가지고 되돌아보니 너무나 많은 기억들을 노트에 끄적여 놓았더군요,

나의 십대에게 미안했고 나의 이십대가 안쓰러웠고 나의 삼십대가 불쌍하다고 느껴졌지만 지금.. 나의 사십대는 너무 행복합니다. 십년간 직장인 극단에서 배우 및 기획, 연출을 하며 모든 걸 쏟아부었고 23년동안 아이들을 키우고 악착같이 일을 하며 내 모든 열정을 불태웠습니다. 더 이상 쏟아부을 열정이 없을 정도로.. 하지만 열정 대신에 지난 일을 생각할 수 있는 마음의 여유가 생겨 그 동안 끄적여 놓았던 낙서들을 꺼낼 수 있는 기회도 생긴거겠죠. 참으로 부끄럽긴 합니다만...

십대의 순수했던 짝사랑이 있었어요. 짝사랑이라 하기엔 너무 긴 시간이었지만 나에겐 잊을 수 없는 소중하고 예쁜 기억이기에 남겨 놓고 저장해 놓고 싶었습니다

이십대, 삼십대의 사랑은 아픈 기억이 많아요. 전 남편과 서른 중반에 이혼을 하며 아픈 사랑은 끝이 난 것 같습니다. 짧은 글이든 긴 글이든 감정은 힘들 때 많이 나온다고 하던데 저도 그랬습니다. 행복하고 좋았던 순간보다 가장 힘들고 지칠 때 끄적였던 낙서들이 남겨져 있었습니다. 지금 보니 참 오글거리지만 오랜 시간이 지난 후, 아~ 내가 그랬구나라고 생각하며 미소 지을 수 있을 것 같습니다.

사람은 죽을 때까지 사랑을 할 수 있다고 하니 앞으로 저에게도 기억하고싶은 소중한 사랑이 찾아오길 바래봅니다.

그리고 「쓰다」의 대본도 완성할 수 있기를..

2023. 5. 3.

他人

그 어느 날 ———————————————————————

PART 1

카라멜마키아또

가을..
47번째 가을에
내가 듣고 싶은 말..
"수고했어"
내가 듣고 싶은 목소리..
"따뜻한 목소리"

오늘. 내일..

또 오늘.. 다시 오늘.. 또 내일...

그렇게 매일 매일이 지나가고

또 지나가고...

내일이 온 듯하면 다시 오늘...

아침에 잠에서 깨어보면

"어? 또 오늘이잖아!!

　내일은 대체 언제 오는거야?"

신호대기중

광대 지하연습실

처음엔

무대 위의 조명과 집중이 좋았다

몇 년후...

나는 무대 뒤에서

무대를 즐기고 있었다

이렇게 변한거다...

나는...

나는 뜨아
너는 아아
난 거침없고
너는 냉정하고
이래서....
우린 안맞았구나?

군산 무녀도

카라멜마키아또

[......쓰다 Ending]

어릴적 우리의 첫사랑은 이루어지지 않았지만
우리들은 청춘을 나름 아름답게 보냈다.
서로 있는 자리에서 삶을 즐기며
각자 해야 할일을 하며,
우린 그렇게 나이들어 가고 있었다.
기억은 아플 수 있지만
추억은 아름답게 간직할 수 있어
그냥 아름답고 행복했던
추억으로 간직하기로 하였다.

P.S

J는 우리가 처음갔던 「영혼이 깨끗한 거지」를 기억하지 못했다...

[201702 他人]

LP틀어주는 애정하는 선술집

카라멜마키아또

햇살이 따뜻한 날,

오늘,

지금,

하늘을 쳐다보니 괜히 울컥한다.

나 왜그러니...?

봄이와서 꽃이 피듯 내마음에도 꽃이 필까?
봄바람처럼 살며시 니가 찾아와
나에게도 봄이 왔으면 좋겠다

강화도 벗꽃

카라멜마키아또

한적한 밤·
부드러운 재즈가 나오는 차안에서
진한 커피향을 맡으며
그와 함께 했던
바닷가로 달려가고 싶다

군산 선유도

아침인사는 참좋다
나는 누군가에게 매일 아침 인사를 듣는다
"잘 잤어요?"
그래서 나도 매일 아침 인사를 한다
"밤새 별일 없었죠?" 라고
그에게....

먼저 말 꺼내놓고
먼저 후회하는
바보같은 나는
도대체...
그럼 어떻게 하니?
보고싶고 그리운걸...

바람이 불어와
너의 따뜻한 손이 생각나
바람처럼
너도 나에게 왔으면 좋겠다

여수 이순신대교 지나면서

카라멜마키아또

매일 매일
아침, 점심, 저녁,
굿모닝!
점심은?
퇴근했어?
그리고 자기전...
오늘도 수고했어.
라는 짧은 인사에
하루가 힘이 나고 감사해

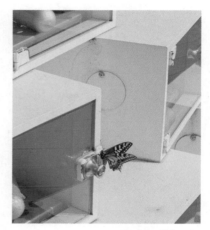

열두 번째

충주 비봉산의 나비

소원하는 게 이루어지는 꿈
보고 싶던 사람이 나오는 꿈
멋진 사람이 되어
당신 앞에 나타나는 꿈
그건 그냥 희망 고문이었어..

카라멜마키아또

지나간 기억에 머무르지 않기
지나간 상처에 아파하지 않기
다가올 사랑에 겁먹지 말기
새로운 사랑에 두려워하지 말기
할 수 있을까?

해질 녘 산에 오르다가

카라멜마키아또

요즘은 자꾸
"커피한잔 할래?" 라는
너의 연락을 기다리며
핸드폰만 째려보게 된다

이제는 만나지 않으려 했다.

하지만.....

나도 모르게 또 다시 스며들고 말았다.

나도 모르는 어느 순간...

마시랑해변 카페

술집 그게이87

술이 많이 취한날
정신이 들때까지 손을 꼬옥 잡아준 사람
너무 취해 미안하단 말에
니가 오늘 너무 피곤해서 그런거야 라고
따뜻하게 말해준 사람
자꾸 생각난다...

햇살이 참 이쁘다 라며
햇살비추는 사진한장 던져주고
사진 속의 너는 브이를 힘차게 그리고 있다
덕분에 오늘 하루도 잘 보낼 수 있을거 같아

생각정리 중

과거의 현재를 오가며

복잡했던 내 머릿속을 정리하는 중입니다

정리가 되면 좀 나을까요

정리가 되면 기억도 사라질까요

여수 오동도 옆 터널.. 아무도없다

스며듦이 무서운 이유는
어디서부터 어떻게 시작되었는지
모르기 때문이다
시작을 모르기에
끝을 알수 없는 두려움....

"햇살 좋은 날!
기분이 상쾌한 날!
프레임이 예쁜 날!
그래서...
원래 멋진 놈인 내가
원래 사랑스러운 너에게
그 모든 것을 가득 담아 보낸다." 라고 했지?

선재도 노가리해수목장

그럼 난

행복하면 되는거야...?

他人

그 어느 날 ——————————————————————————

에스프레소

세월이 흘러도
그렇게 흘러도
그 목소리
그 눈빛
그 웃음
너무 또렷해
다른 기억은 사라졌는데
왜 그 모습들은
아직도 남아있는건지..

지치고 지쳐
몸과 마음이
땅속 깊은 곳으로 떨어진다
그냥
올라가지 말고 쉴까?

건물사이로 몰아치는 빗줄기

내 옆에 누군가 있다고 생각했다
돌아보니 아무도 없었다
너의 잔상조차 없었다
나의 그림자만 있을 뿐.
그냥... 나 혼자였다.

비가 쏟아진다
쏟아지는 빗속에서 펑펑 울고싶다
빗소린지 내소린지 알수 없게
빗물인지 눈물인지 알수 없게

비 오는 날, 펑펑 울던 차 안에서

많이 피곤했다는 말에
어디 아픈가
무슨 일있나
계속 걱정했는데
"걱정은 무슨~" 이란 말에
맥이 탁! 하고 풀린다

광끼 그들과...

내가 생각한
내가 그려온 목표에
한걸음씩 나아가는 중..
이제 반은 온듯한데
그 안에는
너희들이 있다는 것
고마운 내 사람들..
감사하고 감사한 사람들...

마음정리가 필요했다
또 다시 분산되기 시작한다
무작정 달렸다
도착해보니 그곳이었다
늘 가던 그곳...
습관이 이렇게 무서운 거였나?

걷고 또 걸었던 날..

단순해 지고 싶었다
복잡한게 싫었다
그러나...
지랄맞은 내 성격
바꿀수가 없더라

뜬금없는 너의 노래에 웃음이 터졌지만
듣다보니 나도 모르게
눈물을 흘리고야 말았어...
아무 이유없던 너의 진심어린 노래가
나에겐 위로가 되었었나봐...

하이불에 노래중인 나..

나 혼자라고 느껴질 때
세상에 나 혼자이고 싶을 때
아무도 없다는 생각이 들 때...
그땐 말이지?
난 그냥 잠을 자...

내가 지나온
내가 꿈꿔온
언젠가는 다가 올...
겁쟁이가 되지 않도록, 되지 않기를
지나간 일기를 꺼내어 본다.

나의 일기장

언젠가는 완성할 우리의 대본

첫사랑과 첫사랑을 닮은 사람
오랫동안 가슴에 품었던 사람
마음 한켠에 아직도 박혀있는 사람
첫사랑을 닮은 그.. 사람..
잊으려해도 사라지지 않는 기억
영혼이 깨끗한 거지를 알려준 그 사람
참... 쓰다.

거제도의 겨울바다.. 쓸쓸함..

하고 싶은 일이 뭐예요?

음.. 글쎄?
구체적으로 생각해 본적은 없었는데...
음, 자유롭고 싶다는거?
이것도 꿈이면 꿈일까?

내 열일곱 기억속의 그는
자유롭게 잘 살고 있을까?

너를 만난 이후
매일 너의 목소리를 듣게되고
어느새 깊숙이 자리잡은 너
밀어낼수록 점점 다가오는 너
어느새 물든 나
어느새 물든 너

너를 그리워하는 건
너의 몸짓이 아닌
너의 따뜻한 말과
너의 다정한 눈빛이었어.
너의 목소리도...

지금 그런 니가 너무 보고싶어...

"잘자"라는 그 한마디가
왜 이렇게 달콤했는지
보고싶어 미쳐버릴 뻔했어!

무알콜 칵테일.. 너무 달다..

취해야 한다

무엇이든 간에..

사람에게도 취하고 싶다.

허전한 맘을 사람에게 채우고 싶어졌다.

술을 마시는데 비가 오는거야
생각이 나서 전화했어..
네 생각

S. 그녀와. 함께 한 차박 첫 날

정말...
그럴수 있을까?
차갑게 잊을 순 있지만 뜨겁게 사랑하는 건
자신이 없다..

나도, 뜨거운 사랑을 해볼 수 있을까?
상처 받을까봐
두려운 건지 겁이나는 건지
뛰어들지 못하는 나..

나는 지금까지 사랑이란 것을 해보긴 한걸까?
알 수가 없다.

내 머리를 열어 뇌를 들여다보고
내 마음을 갈라서 열어보고
아! 내가 이런 생각을 하는구나.
라고 알았으면 싶다.

정말
난 무슨 생각을 하며
무엇을 바라보며 사는 사람인걸까?
나에게 심장은 있는걸까?

속초 천국의 계단

마흔 번째

왜지? 왜일까?

10년을 넘게 꾸지 않았던 내 꿈속에 그가 나왔다

내 아주 어릴 적

멀리서 쳐다만 봐도

심장이 터질 것 같이 떨리곤 했던 사람

내가 너무 어리다는 이유로

좋아한다는 말 한번 못했는데…

우연히 어떤 이를 보고

그 사람 생각이 났다

잘 살고 계시죠?

내 방.. 내 책상

한숨을 감추기 위해
담배를 핀다
눈물을 감추기 위해
비를 맞는다
내 마음을 감추기 위해
크게 웃어본다

포항 영일대해수욕장 눈 오는 밤

월, 화, 수, 목, 금...
사느라 힘들었으니
금, 토, 일은
내가 최선을 다해 웃게 해줄게!!

원주 소금산 출렁다리

他人
그 어느 날 ───────────────────────────────

PART 3

바닐라라떼

쓰다 지웠다
쓰다 지운다
또 쓰고 또 쓴다
지우고 또 지운다
소주니?
왜 이렇게 쓴거니?
밤새마신 소주처럼...
잊었는줄 알았는데
지운줄 알았는데 자꾸 기억나
쓰고 또 쓴다
지우고 또 지운다...

겨울,

비 오는 바다에 서 있고 싶다

비와 함께 오래 오래 서 있고 싶다

겨울 바다에 눈물을 툭툭 떨구고 싶다

흐릿해진 멍한 눈으로 빗물이 바다에

깊게 파묻히는 소리를 듣고 싶다

파도가 나에게 점점 다가온다

바다의 밀물과 썰물이 나를 감싸온다

청승맞아도 좋다

버릴 수 있다면..

지울 수 있다면,....

겨울 광안리

일어났어?
몸은?
오늘은 병원 꼭 가야해..
밥은 먹었어?
병원가서 주사맞고
밥먹고 약먹고 그리고... 쉬어
제발!

너의 속사포같은 잔소리 때문에
숨을 못쉬겠어
그래도 난 좋다
너의 그 사랑스러운 잔소리가....

내가 다시 사랑하지 않는 이유는
또 다른 상처를 받을까 두렵기 때문이다

사랑을 받는다는 건
사랑을 주는 것보다 행복하더라
온전한 사랑을 받는다는 것,
지금 이 시간 행복을 느낄수 있는 사랑
당신 때문에 행복하고
당신 때문에 편안하고
당신 때문에...
매일 하루가 즐겁더라

친구들과 소주로 꽃피는 사랑

바닐라라떼

한잔,
첫잔은 배고파서 마시는 술

두잔,
두 번째 잔은 피곤해서 마시는 술

세잔,
세 번째 잔은 삶에 찌들어 마시는 술

그리고 네잔, 다섯잔..
니가 그리워 한없이 마시는 내 눈물

한병을 비우고
그 빈병에 내 눈물을 채운다
눈물로 채운 병을 다시 또 따른다.....

사람은 또 다른 사람으로 잊혀진다고
사랑은 또 다른 사랑으로 잊혀진다고
다들 그렇게 말하지...
늘 반복되고 또 반복되는 그런 일들..

내 방 내 책상.. 맥주

바닐라라떼

어릴 적
홀로서기라는 시를 참 좋아했다
그래서인가..
다시 홀로선지 7년
어떻게 살아야 하는지의 막막함으로
걱정하고 앞만보고 살았다
벌써 7년 전..
지금 7년 후
혼자.. 홀로..
아니었다
나에게는 세상 소중한 가족이 있고
내 보물인 아이들이 있고 친구들이 있었다
홀로서기가 아니었다
홀로설수 있다는건
나만의 착각이었다.

2020. 02. 11.

신
번
째

욕심이었을까
그냥 작은 소망이라 생각했는데
너무 큰 욕심이었나보다
너란 사람.

석촌호수 벚꽃

멍하디 멍한 날..

"넌 누구야?" 라고 내게 묻는다!

"나? 글쎄..."

"난 누구야? 난 누구지?" 라고 되물었더니

"바보~ 누구긴 누구야! 너지!

왜 니가 아닌 것처럼 그러고 있어?

너답지가 않잖아~"

내가 되묻는다

"나 다운게 뭔데? 어떤건데?"

"음.. 글쎄..?"

"나 다운건 없어.

그때 그때 감정에 충실하며 사는거지

착해질 수도 나빠질 수도 욕을 먹을수도 있고

유쾌하고 또... 즐거워 할수도 있지만

슬퍼하고 우울할때도 있는거라구~

그게 나 다운거야"

이제 더 이상 감추며 살지 않을거야!
가면놀이 같은거 재미없어!"

라고 외치니 또 묻는다
"그래 이 바보야! 이제 알겠니?
그런데.. 그게 될까?"

        "............................"

강화 어느 펜션 그네

누난 그때 왜 모든걸 던졌어요?

가정도 육아도 일도 했어야 했는데...

난..

그렇지 않으면 죽을거 같았거든...

그래.

난 그때 연극이 아니었으면 어떻게 되었을까?

P.S

많은 생각을 하게 했던 Mr.Shin의 질문, 그리고 감사한 아이

이토아리랑

통화하면서 자꾸 짜증내는 너
왜 짜증내? 하고 물으니
"보고싶어서" 라고 한다
휴.. 나도 짜증나잖아..
너무 보고싶어서..

매일 밤,
네가 불러주던 노래에 중독되어
이제는
그냥 잠이 들 수가 없어졌어

캠핑 중

바닐라라떼

他人

그 어느 날————————————————————————

PART 4

아포카토

날씨가 따뜻해졌다
봄이 왔나봐
그런데 내 맘은 왜 이렇게 춥니
나만 꽃샘추위야?

밤새 차를 달려
어디론가 가고 있다

늘 내옆에 있었는데
오른쪽으로
문득 고개를 돌려보니
아무도 없네

무섭고 허전한 밤 고속도로
나 지금 너무 무서우니까.
당장 돌아와!!

무작정 달리는 고속도로

영종도 카페의 빨간 공중전화가 추억을 부른다

지금 힘드니?

힘들구나

힘내라는 이말.. 너무 싫다

힘내라는 말을 들으면

힘이 더 빠지는

거지같은 상황은 뭘까...

전화 한통화
말 한마디..
많은 전화와 말보다는
진심어린 한마디
성의있는 한마디가
더 중요했던거다
나에겐 그랬던거다

난 이렇게 힘든데
왜 너는 괜찮은 건데?

새로운 사람을 만난다는 것은
늘 설레이는 일이다

사랑하는 사람을 만난다는 것은
더더욱 설레이는 일이다

살롱드 팔당에서 예쁜 그녀와..

내가 점점 투정이 늘고
징징대고 삐지는 건
그냥 내가 너를
더 많이 사랑해서 그런거라 생각해줘

비가 오고 흐리지만

내사랑 오늘도 힘내고 사랑해

중부고속도로 상행선

사랑?

잘 모르겠음

그냥 좋으면서 힘든거

마음이 불편하지만 또 편한거...

누구예요?

응.. 니가 아는 그새끼..

그래 그새끼...

청주 어느 카페

스쳐가는 인연보다
스며드는 인연이고 싶다

강릉 갈매기 다방

커피와 사랑은 닮았다
사랑을 시작할 땐 부드러운 바닐라라떼
사랑이 깊어지면 캬라멜마끼아토
사랑이 식어갈수록 아포카토
이별을 겪고나면 에스프레소 더블 샷

사랑은 고독하다
사랑은 공허하다
사랑은 쓸쓸하다
그래도...
사랑은 따뜻하고 포근하다

1997년
스물두살의 나는 십년의 짝사랑을 떠나보냈다

그리고,
스물다섯해
가장 예뻤던 해인 것 같다
하지만 다시 돌아가고 싶지 않은 그 때..

이제는
그 무엇도
아무것도
추억하고 싶지 않아

유독 따뜻하게 느껴졌던 카페라떼와 그 날의 분위기

아포카토

나는 지금 내가 행복한 줄 알았다.
머리로만 행복한 거 였다
가슴은 울고있는데...
느끼지 못했다.

초지대교 차박하는 날

추억을 향수처럼 병에 담을 수 있다면
얼마나 좋을까
아무 때나 열어볼 수 있게..

누군가를 생각하며 펜을 잡는게
당연하다고 생각하던 때가 있었다
지금 .. 그사람이 생각난다

행운의 상징이라며 느닷없이 선물을 보내준 친구가 있었다

기억을 잘라내던가
포맷시킬수는 없을까?
니가 지치지 않았으면 좋겠다고
말해주던 사람이 있었다
사람들에게 상처받을까봐
애쓰는 내 모습이 안쓰럽다며
토닥여주던 사람...

추억하고 싶은것과 추억하고 싶지 않은 것
버리고 싶은 것과 버릴 수 없는 것
비워야 채울수 있는데
아무리 버리려해도 버려지지 않는
머릿속의 기억들..

초등학교 친구들과 남해여행 추억쌓기 중

딱 잘라서 좋은 사람
그 한마디로 모든게 녹아내렸다
그 동안 서운했던게 풀려버렸다
나는 참..
단순하구나

기억,,
니가 있어서 행복했고 또 행복했어
인연이 아님에 안타깝고
함께하지 못함에 슬프지만
내 가슴속 가장 깊이 남아있는
사람으로 기억할게..

사랑에 관한 거짓말
사람에 관한 거짓말
너밖에 없어 라는 거짓말
뒤돌아보면 그 옆에는 다른 사람이...

더운여름 바닷가

사랑하는 사람을 기다리는 시간은
항상 설레인다
설레이지 않는다는 것은
사랑이 식었다는 증거.

꽃과 같은 사람이라
꺾은 꽃 선물이 싫은걸 수도 ...
한 송이에 의미가 더 큰 거일수도

제부도 한옥 카페의 수선화

아포카토

오래전 딸아이가 냉장고에 써붙혀준 메세지

지나고 보니 별거 아니었다
돌이켜보니
오늘이 행복이었다

너무 애쓰지 말고 살자
사는거 다 거기서 거기더라

아무것도 하고 싶지 않은 그런 날

오늘..

그냥 쉬고싶은 날.

오늘.. 지금

진심.. 너무 피곤해..

내 손을 잡았다
내 손을 잡고 걸어간다
내 손을 잡고 뛰어간다
어? 어디가!!!
.... 꿈이었다... 꿈.. 망할

봄이 오는 줄 알았는데
여름인가보다..
내 마음에 꽃도 피지 않고
벌써 땀이 난다
그럼... 또 가을이겠지?
곧 외롭고 공허해지겠군...

초여름비 맞은 설악산의 꽃

차나 사람이나
사용하다보면 점검해야하고
돈달라고 하고
바꾸고싶고...
뭐 다를거 없네..

– 자동차정비소에서 애마를 쳐다보며–

술을마셨다
머리가 아프다
숙취해소제를 먹었다
또 술시가 되었다
또 술을 마셨다.
숙취해소제를 찾는다.
아.. 뭐냐..

커피향이 좋다
헤이즐넛인가?
오랜만에 맡아보는 향이네
헤이즐넛..
늘 그 커피를 즐겨하던
사람이 있었던 것 같은데..
누군지 기억이 안나는 슬픈 기억력..

햇살 좋은 겨울.. 다리에 깁스하고 환자복입고 홀로 카페에서 청승떨던 날

아포카토

아버지께서 하늘로 가시던 날..
화장터에서 나와 아버지의 유골함을 열었다.
커다란 몸이 정말 한줌밖에 안되는데
왜 그리 우리는 아등바등 살아야 하는걸까

아버지 기일에 올리는 소주

연습실에서 도촬 당한 나

나를 신경쓰는 사람은 없는데
왜 나는 내가 신경쓰이는지...
타인의 시선이 늘 두렵다..

아포카토

他人

그 어느 날

PART 5

아메리카노
(마흔여덟)

특별하지 않은 날
그냥 그런 평범한 날

충북 보은으로 업무차 다녀온 날...
어찌 그리 단풍이 이쁠까요?
빨갛고 샛노란 단풍이 말라가면서
색이 흐려져 아쉽습니다
변하지 않는 것은 아무것도 없나 봅니다
사람도.. 사랑도... 시간도...
그 모든게....

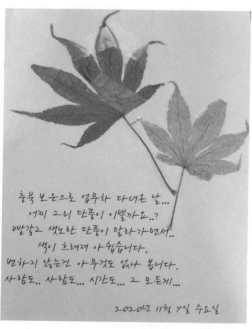

충북 보은으로 업무차 다녀온 날...
어찌 그리 단풍이 이쁠까요..?
빨갛고 샛노란 단풍이 말라가면서..
색이 흐려져 아쉽습니다.
변하지 않는건 아무것도 없나 봅니다.
사랑도.. 사람도... 시간도... 그 모든게...

2020년 11월 4일 수요일

보은 속리산의 단풍. 말라버렸다

아메리카노(마흔여덟)

Reset..

마흔여덟

당장 죽어도 후회없다는 말이

모든걸 다시 시작할 수 있다는 말이 되어버렸다.

(from. JS)

동두천 나지모리 스튜디오

아메리카노(마흔여덟)

새벽 등산 정상에서

아트윰 「BUZZ」 (부제 _ 예쁜 댓글 부탁드려요) 바로 듣기

힘든 퇴근길 김 서린 버스 창에
힘내라는 무지개를 띄운 글귀에
눈물이 났어

지루한 일상 작은 사각형 안에
사랑의 오로라를 피운 글귀에
미소가 지어졌어

좋아라고 쓰면
내 마음이 좋아
예뻐라고 쓰면
내 마음이 예뻐

[아트윰 「BUZZ」 에서]

他人 ...
그 어느 날

/

하젤 Hazell